하루 10분 서술형/문장제 학습지

수학 독해

P3 덧셈과 뺄셈
6세~8세

Creative to Math

수학독해 : 수학을 스스로 읽고 해결하다

객관식이나 간단한 단답형 문제는 자신 있는데 긴 문장이나 풀이 과정을 쓰라는 문제는 어려워하는 아이들이 있어요. 빠르고 정확하게 연산하고 교과 응용문제까지도 곧잘 풀어내지만, 문제 속 상황이 약간만 복잡해지면 문제를 풀려고도 하지 않는 아이들도 많아요. 이러한 아이들에게 부족한 것은 연산 능력이나 문제 해결력보다는 독해력과 표현력입니다. 특히 수학적 텍스트를 이해하고 표현하는 능력, 즉 수학 독해력이지요.

요즘 아이들의 독해력이 약해진 가장 큰 이유는 과거에 비해 이야기를 만나는 방식이 다양해졌기 때문이에요. 예전에는 대부분 말이나 글로써만 이야기를 접했어요. 텍스트 위주로 여러 가지 사건을 간접 체험하고, 머릿 속으로 상황을 그려내는 훈련이 자연스럽게 이루어졌지요. 반면 요즘 아이들은 글보다도 TV나 스마트폰 등 영상매체에 훨씬 빨리, 자주 노출되기에 글을 통해 상상을 할 필요가 점점 없어지게 되었습니다.

그렇다고 아이들에게 어렸을 때부터 영화나 애니메이션을 못 보게 하고 책만 읽게 하는 것은 바람직하지 않고, 가능하지도 않아요. 시각 매체는 그 자체로 많은 장점이 있기 때문에 지금의 아이들은 예전 세대에 비해 이미지에 대한 이해력과 적용력이 매우 뛰어나답니다. 문제는 아직까지 모든 학습과 평가 방식이 여전히 텍스트 위주이기 때문에 지금도 아이들에게 독해력이 중요하다는 점이에요. 그래서 저희는 영상 매체에는 익숙하지만 말이나 글에는 약한 아이들을 위한 새로운 수학 독해력 향상 프로그램인 씨투엠 수학독해를 기획하게 되었어요.

씨투엠 수학독해는 기존 문장제/서술형 교재들보다 더욱 쉽고 간단한 학습법을 보여주려 해요. 문제에 있는 문장과 표현 하나하나마다 따로 접근하여 아이들이 어려워하는 포인트를 찾고, 각 포인트마다 직관적인 활동을 통해 독해력과 표현력을 차근차근 끌어올리려고 합니다. 또한 문제 이해와 풀이 서술 과정을 단계별로 세세하게 나누어 문장제, 서술형 문제를 부담 없이 체계적으로 연습할 수 있어요. 새로운 문장제 학습법인 씨투엠 수학독해가 문장제 문제에 특히 어려움을 겪고 있거나 앞으로 서술형 문제를 좀 더 잘 대비하고 싶은 아이들에게 큰 도움이 될 것이라 자신합니다.

수학독해의 구성과 특징

· 매일 부담없이 2쪽씩, 하루 10분 문장제 학습
· 매주 5일간 단계별 활동, 6일차는 중요 문장제 확인학습
· 5회분의 진단평가로 테스트 및 복습

주차별 구성

일일학습

꼬마 수학자들의
간단한 팁과 함께
매일 새롭게 만나는
단계별 문장제 활동

확인학습

중요 문장제 활동을
다시 한번 확인하며
주차 학습 마무리

1주차	1일	2일	3일	4일	5일	확인학습
	6쪽 ~ 7쪽	8쪽 ~ 9쪽	10쪽 ~ 11쪽	12쪽 ~ 13쪽	14쪽 ~ 15쪽	16쪽 ~ 18쪽

2주차	1일	2일	3일	4일	5일	확인학습
	20쪽 ~ 21쪽	22쪽 ~ 23쪽	24쪽 ~ 25쪽	26쪽 ~ 27쪽	28쪽 ~ 29쪽	30쪽 ~ 32쪽

3주차	1일	2일	3일	4일	5일	확인학습
	34쪽 ~ 35쪽	36쪽 ~ 37쪽	38쪽 ~ 39쪽	40쪽 ~ 41쪽	42쪽 ~ 43쪽	44쪽 ~ 46쪽

4주차	1일	2일	3일	4일	5일	확인학습
	48쪽 ~ 49쪽	50쪽 ~ 51쪽	52쪽 ~ 53쪽	54쪽 ~ 55쪽	56쪽 ~ 57쪽	58쪽 ~ 60쪽

진단평가 구성

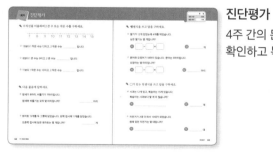

진단평가

4주 간의 문장제 학습에서 부족한 부분을
확인하고 복습하기 위한 자가 진단 테스트

진단평가	1회	2회	3회	4회	5회
	62쪽 ~ 63쪽	64쪽 ~ 65쪽	66쪽 ~ 67쪽	68쪽 ~ 69쪽	70쪽 ~ 71쪽

이 책의 차례

1주차

이어 세기

🌸 주어진 수보다 1 큰 수와 1 작은 수를 각각 구하세요.

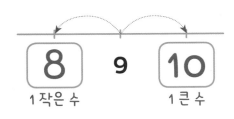

9보다 1 큰 수는 ____**10**____ 입니다.

9보다 1 작은 수는 ____**8**____ 입니다.

①

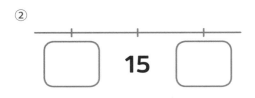

13보다 1 큰 수는 _____ 입니다.

13보다 1 작은 수는 _____ 입니다.

②

15보다 1 큰 수는 _____ 입니다.

15보다 1 작은 수는 _____ 입니다.

③

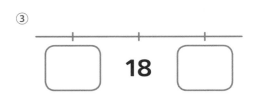

18보다 1 큰 수는 _____ 입니다.

18보다 1 작은 수는 _____ 입니다.

어떤 수보다 하나 더 많은 수는 1 큰 수와 같아.

✽ 수직선을 이용하여 알맞은 수를 구하세요.

토끼가 3마리 있고, 원숭이는 토끼보다 1마리 더 많습니다.

원숭이는 ___**4**___ 마리입니다.

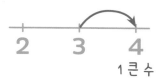

2 3 4

1 큰 수

① 여자 아이가 9명 있고, 남자 아이는 여자 아이보다 1명 더 많습니다.

남자 아이는 _____ 명입니다.

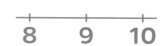

8 9 10

② 연필이 12자루 있고, 볼펜은 연필보다 1자루 더 적습니다.

볼펜은 _____ 자루입니다.

11 12 13

③ 사과가 16개 있고, 복숭아는 사과보다 1개 더 적습니다.

복숭아는 _____ 개입니다.

15 16 17

🐾 수를 이어 세어 2 큰 수를 구하세요.

6보다 1 큰 수는 7이고, 2 큰 수는 ___**8**___ 입니다.

① 9보다 1 큰 수는 10이고, 2 큰 수는 _____ 입니다.

② 12보다 1 큰 수는 130이고, 2 큰 수는 _____ 입니다.

③ 7보다 1 큰 수는 8이고, 2 큰 수는 _____ 입니다.

④ 10보다 1 큰 수는 11이고, 2 큰 수는 _____ 입니다.

1 큰 수보다
1 더 큰 수는
2 큰 수야.

🐞 수직선을 이용하여 알맞은 수를 구하세요.

시은이는 사탕을 8개 먹었고, 은아는 시은이보다 2개 더 많이 먹었습니다.

은아가 먹은 사탕은 ___**10**___ 개입니다.

7   8   9   10
          1 큰 수   2 큰 수

① 셔츠가 9벌 있고, 바지는 셔츠보다 2벌 더 많습니다.

바지는 _____ 벌입니다.

9   10   11   12

② 어제 닭들이 달걀을 5개 낳았고, 오늘은 어제보다 2개 더 많이 낳았습니다.

오늘 낳은 달걀은 _____ 개입니다.

5   6   7   8

③ 장미는 12송이 있고, 튤립은 장미보다 2송이 더 많습니다.

튤립은 _____ 송이입니다.

11   12   13   14

🐝 수를 거꾸로 이어 세어 2 작은 수를 구하세요.

2 작은 수 1 작은 수

12보다 1 작은 수는 11이고, 2 작은 수는 __**10**__ 입니다.

① 15보다 1 작은 수는 14이고, 2 작은 수는 _____ 입니다.

② 10보다 1 작은 수는 9이고, 2 작은 수는 _____ 입니다.

③ 14보다 1 작은 수는 13이고, 2 작은 수는 _____ 입니다.

④ 11보다 1 작은 수는 10이고, 2 작은 수는 _____ 입니다.

🐝 수직선을 이용하여 알맞은 수를 구하세요.

소나무가 13그루 있고, 은행나무는 소나무보다 2그루 더 적습니다.

은행나무는 ___11___ 그루입니다.

① 오빠는 올해 10살이고, 나는 오빠보다 2살 더 적습니다.

나는 _____ 살입니다.

② 희재는 책을 12권 읽었고, 지우는 희재보다 책을 2권 더 적게 읽었습니다.

지우가 읽은 책은 _____ 권입니다.

③ 버스가 18대 있고, 트럭은 버스보다 2대 더 적습니다.

트럭은 _____ 대입니다.

몇 큰 수는 얼마입니까

🎨 수직선을 이용하여 몇 큰 수를 구하세요.

8보다 3 큰 수는 얼마입니까?

__11__

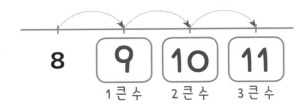

① 9보다 3 큰 수는 얼마입니까?

_____

② 7보다 4 큰 수는 얼마입니까?

_____

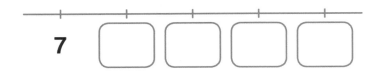

③ 10보다 5 큰 수는 얼마입니까?

_____

수를 이어서 셀 수 있다면 간단하게 풀 수 있어.

🎨 다음 물음에 답하세요.

자동차가 7대 있었는데 자동차 3대가 더 왔습니다.

자동차는 몇 대입니까?   **10** 대

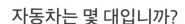

① 빨간색 풍선은 9개 있고, 파란색 풍선은 빨간색보다 4개 더 많습니다.

파란색 풍선은 몇 개입니까?   _____ 개

② 기혁이는 6살이고, 고은이는 기혁이보다 5살 더 많습니다.

고은이는 몇 살입니까?   _____ 살

③ 수아는 인형이 12개 있고, 가연이는 수아보다 인형이 3개 더 많습니다.

가연이가 가진 인형은 몇 개입니까?   _____ 개

몇 작은 수는 얼마입니까

✿ 수직선을 이용하여 몇 작은 수를 구하세요.

12보다 3 작은 수는 얼마입니까?

① 14보다 3 작은 수는 얼마입니까?

② 10보다 4 작은 수는 얼마입니까?

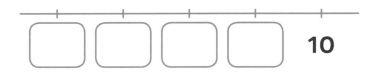

③ 13보다 5 작은 수는 얼마입니까?

틈틈이 수를 거꾸로 이어서 세는 연습을 해 봐.

🌸 다음 물음에 답하세요.

초콜릿이 11개 있었는데 4개를 먹었습니다.

남은 초콜릿은 몇 개입니까?　　　　　　　　　　__7__ 개

① 강아지는 12마리 있고, 고양이는 강아지보다 4마리 더 적습니다.

고양이는 몇 마리입니까?　　　　　　　　　　_____ 마리

② 동전이 15개 있었는데 3개를 잃어버렸습니다.

남은 동전은 몇 개입니까?　　　　　　　　　　_____ 개

③ 두기는 색종이가 12장 있고, 세희는 두기보다 색종이가 5장 더 적습니다.

세희가 가진 색종이는 몇 장입니까?　　　　　　_____ 장

✎ 수직선을 이용하여 2 큰 수 또는 작은 수를 구하세요.

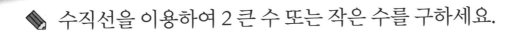

① 9보다 1 큰 수는 10이고, 2 큰 수는 _____ 입니다.

② 16보다 1 작은 수는 15이고, 2 작은 수는 _____ 입니다.

③ 13보다 1 작은 수는 12이고, 2 작은 수는 _____ 입니다.

✎ 수직선을 이용하여 알맞은 수를 구하세요.

④ 어제 책을 8쪽 읽었고, 오늘은 어제보다 2쪽 더 많이 읽었습니다.

오늘 읽은 책은 _____ 쪽입니다.

⑤ 장갑은 15켤레 있고, 신발은 장갑보다 2켤레 더 적습니다.

신발은 _____ 켤레입니다.

✎ 수직선을 이용하여 몇 크거나 작은 수를 구하세요.

⑥ 10보다 4 큰 수는 얼마입니까?　　　　　　　　　　_____

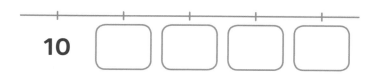

⑦ 15보다 3 작은 수는 얼마입니까?　　　　　　　　_____

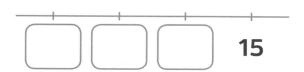

⑧ 12보다 4 작은 수는 얼마입니까?　　　　　　　　_____

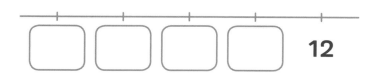

⑨ 6보다 5 큰 수는 얼마입니까?　　　　　　　　　　_____

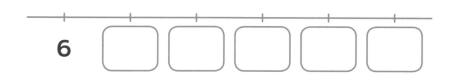

✎ 다음 물음에 답하세요.

⑩ 노란색 색종이는 10장이고, 초록색 색종이는 노란색보다 4장 더 많습니다.

　초록색 색종이는 몇 장입니까?　　　　　　　　　　＿＿＿＿＿＿ 장

⑪ 윤아는 감자를 15개 캤고, 진아는 윤아보다 감자를 3개 더 적게 캤습니다.

　진아가 캔 감자는 몇 개입니까?　　　　　　　　　＿＿＿＿＿＿ 개

⑫ 연필이 13자루 있었는데 4자루를 동생에게 주었습니다.

　남은 연필은 몇 자루입니까?　　　　　　　　　　＿＿＿＿＿＿ 자루

⑬ 현우는 공책을 9권 샀고, 강재는 현우보다 공책을 5권 더 샀습니다.

　강재가 산 공책은 몇 권입니까?　　　　　　　　　＿＿＿＿＿＿ 권

2주차

모으기와 가르기

✿ 그림을 보고 빈 곳에 알맞은 수를 써넣으세요.

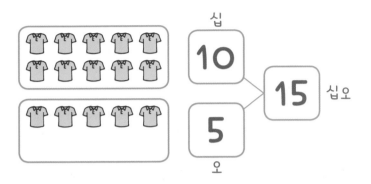

①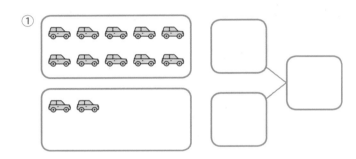

②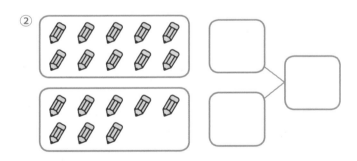

③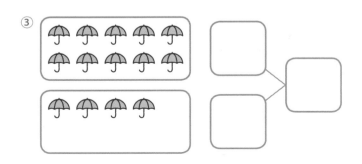

✿ 빈 곳과 밑줄친 곳에 알맞은 수를 써넣으세요.

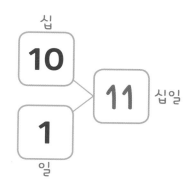

책이 10권 있고, 1권 더 있습니다.

책은 모두 _____ 권입니다.

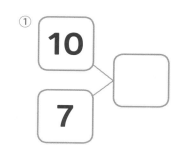

①

사과가 10개 있고, 7개 더 있습니다.

사과는 모두 _____ 개입니다.

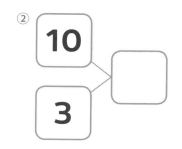

②

강아지가 10마리 있고, 3마리 더 있습니다.

강아지는 모두 _____ 마리입니다.

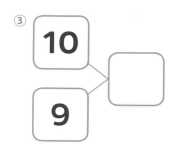

③

은행나무가 10그루 있고, 9그루 더 있습니다.

은행나무는 모두 _____ 그루입니다.

그림을 보고 빈 곳에 알맞은 수를 써넣으세요.

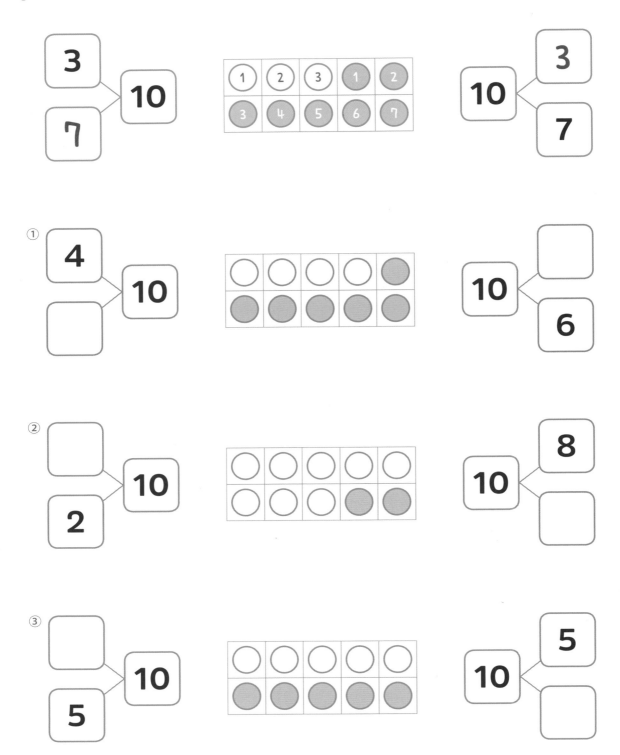

① ② ③

모으면 10이 되는 두 수의 쌍을 모두 알아보자.

🎨 그림을 보고 밑줄친 곳에 알맞은 수를 써넣으세요.

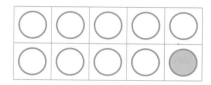

9와 _____ 을 모으면 10입니다.

10은 _____ 와 1로 가를 수 있습니다.

①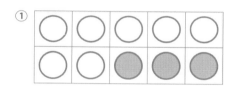

_____ 과 3을 모으면 10입니다.

10은 7과 _____ 으로 가를 수 있습니다.

②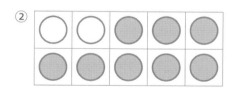

2와 _____ 을 모으면 10입니다.

10은 _____ 와 8로 가를 수 있습니다.

🐝 그림을 보고 빈 곳에 알맞은 수를 써넣으세요.

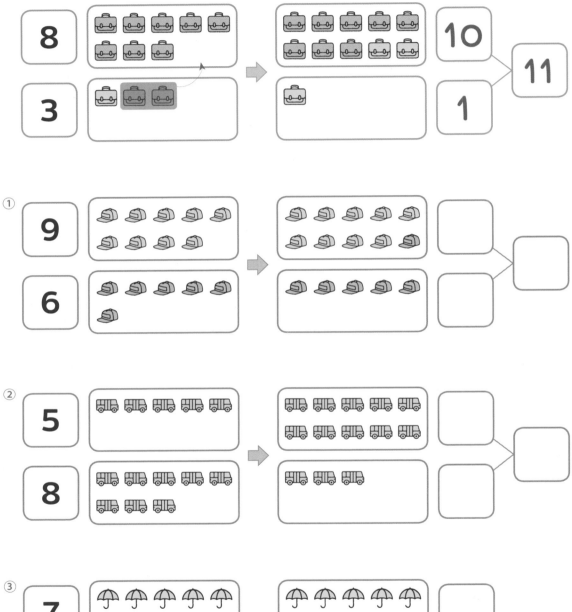

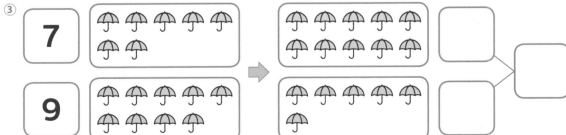

가르는 개수만큼 지우고 남는 수만큼 동그라미를 그려 봐.

🐝 빈 곳에 알맞게 ○표 하고, 알맞은 수를 써넣으세요.

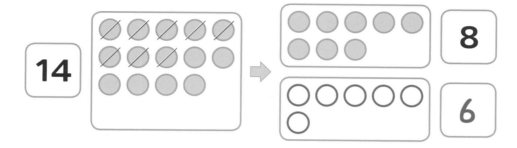

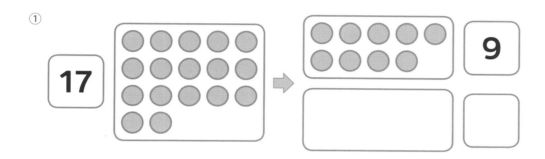

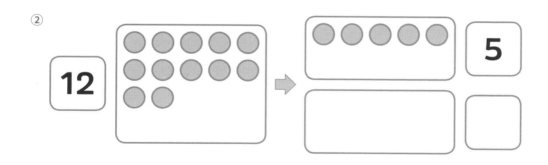

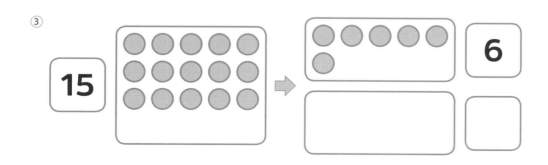

🎨 알맞게 ○표 또는 ●표 하고, 빈 곳에 모은 수를 써넣으세요.

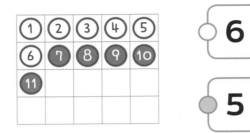

①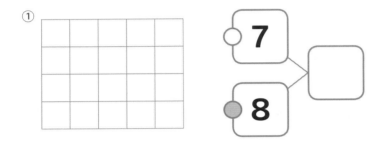

②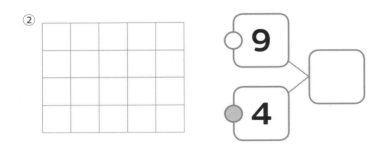

③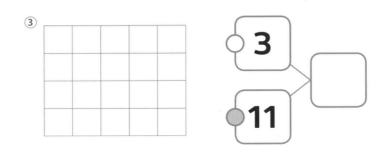

모으는 두 수만큼 동그라미를 그려서 세어 봐.

🐟 다음 물음에 답하세요.

빨간색 셔츠가 8벌, 파란색 셔츠가 7벌입니다.

셔츠는 모두 몇 벌입니까?   **15** 벌

① 사탕이 왼쪽 주머니에 5개, 오른쪽 주머니에 6개입니다.

사탕은 모두 몇 개입니까?   _____ 개

② 감자가 12개, 당근이 7개입니다.

감자와 당근은 모두 몇 개입니까?   _____ 개

③ 금붕어를 지용이는 8마리, 주희는 4마리 기르고 있습니다.

두 사람이 기르는 금붕어는 모두 몇 마리입니까?   _____ 마리

❀ 알맞게 ×표 하고, 빈 곳에 남은 수를 써넣으세요.

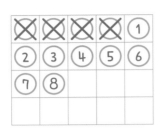
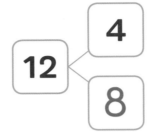

①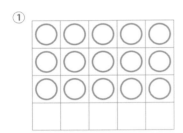
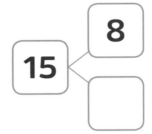

②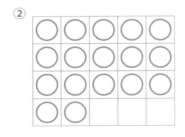
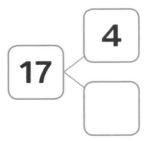

③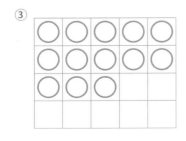
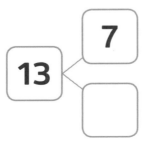

한 곳에 있던 것을 둘로 나누거나 원래 수가 줄어드는 문제야.

🌸 다음 물음에 답하세요.

튤립이 13송이 있었는데 6송이를 친구에게 나누어 주었습니다.

남은 튤립은 몇 송이입니까?　　　　　　　　　　　　　7 송이

① 쿠키 14개를 두 접시에 담았습니다. 왼쪽 접시에 3개를 담았습니다.

오른쪽 접시에 담은 쿠키는 몇 개입니까?　　　　　　　　　개

② 토끼와 햄스터가 12마리 있습니다. 토끼는 5마리입니다.

햄스터는 몇 마리입니까?　　　　　　　　　마리

③ 사탕이 18개 있었는데 9개를 먹었습니다.

남은 사탕은 몇 개입니까?　　　　　　　　　개

✎ 알맞게 ○표 또는 ●표 하고, 빈 곳에 모은 수를 써넣으세요.

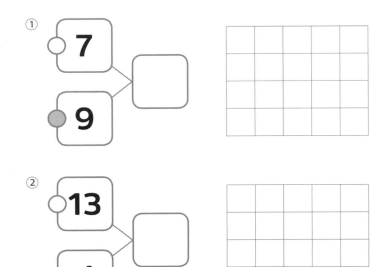

✎ 알맞게 ✕표 하고, 빈 곳에 남은 수를 써넣으세요.

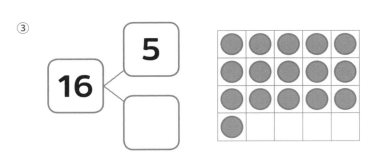

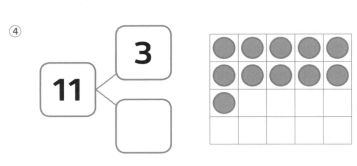

✎ 다음 물음에 답하세요.

⑤ 딸기가 왼쪽 접시에 3개, 오른쪽 접시에 9개 있습니다.

딸기는 모두 몇 개입니까?   _____ 개

⑥ 버스가 10대, 트럭이 8대 있습니다.

버스와 트럭은 모두 몇 대입니까?   _____ 대

⑦ 동전을 정우는 8개, 진영이는 6개 가지고 있습니다.

두 사람이 가진 동전은 모두 몇 개입니까?   _____ 개

⑧ 우유가 7잔, 주스가 4잔 담겨 있습니다.

우유와 주스는 모두 몇 잔입니까?   _____ 잔

✎ 다음 물음에 답하세요.

⑨ 색종이가 15장 있었는데 7장을 썼습니다.

　 남은 색종이는 몇 장입니까?　　　　　　　　　　　＿＿＿＿＿＿ 장

⑩ 구슬 11개를 두 상자에 담았습니다. 왼쪽 상자에 9개를 담았습니다.

　 오른쪽 상자에 담은 구슬은 몇 개입니까?　　　　　＿＿＿＿＿＿ 개

⑪ 까마귀와 까치가 19마리 있습니다. 까마귀는 14마리입니다.

　 까치는 몇 마리입니까?　　　　　　　　　　　　　＿＿＿＿＿＿ 마리

⑫ 나무 16그루가 있었는데 3그루를 옮겨 심었습니다.

　 남은 나무는 몇 그루입니까?　　　　　　　　　　　＿＿＿＿＿＿ 그루

3주차

덧셈식과
뺄셈식

이어 세기 덧셈

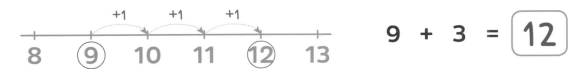

❀ 그림을 보고 덧셈식을 계산해 보세요.

+1 +1 +1

8 ⑨ 10 11 ⑫ 13

9 + 3 = 12

①

8 9 10 11 12 13

9 + 4 =

②

6 7 8 9 10 11

6 + 5 =

③

6 7 8 9 10 11

7 + 3 =

④

12 13 14 15 16 17

12 + 4 =

수직선에서 오른쪽으로 간 칸 수만큼 더하는 식을 만들어.

❀ 덧셈식을 쓰고 답을 구하세요.

감자는 9개 있고, 당근은 감자보다 2개 더 많습니다.

당근은 몇 개입니까?

식 $9 + 2 = 11$

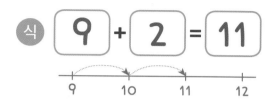

답 __11__ 개

① 은행나무가 7그루 있었는데 3그루를 더 심었습니다.

은행나무는 몇 그루입니까?

식 ☐ + ☐ = ☐

답 _____ 그루

② 공주는 반지가 14개 있고, 왕비는 공주보다 반지가 4개 더 많습니다.

왕비가 가진 반지는 몇 개입니까?

식 ☐ + ☐ = ☐

답 _____ 개

③ 강아지는 8살이고, 고양이는 강아지보다 5살 더 많습니다.

고양이는 몇 살입니까?

식 ☐ + ☐ = ☐

답 _____ 살

🪘 그림을 보고 덧셈식을 계산해 보세요.

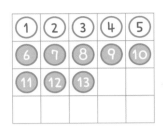 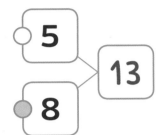

$$5 + 8 = \boxed{13}$$

①

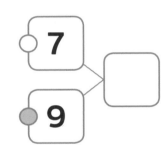

$$7 + 9 = \boxed{}$$

②

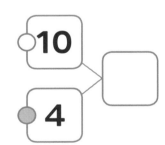

$$10 + 4 = \boxed{}$$

③

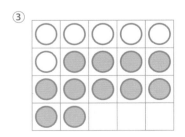 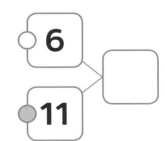

$$6 + 11 = \boxed{}$$

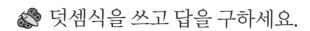 덧셈식을 쓰고 답을 구하세요.

연필이 필통 안에 6자루, 필통 밖에 9자루 있습니다.

연필은 모두 몇 자루입니까?

식 $6 + 9 = 15$ 답 __15__ 자루

① 여자 아이가 11명, 남자 아이가 8명 있습니다.

아이들은 모두 몇 명입니까?

식 ⬜ + ⬜ = ⬜   답 _____ 명

② 검은색 자동차가 4대, 흰색 자동차가 6대 있습니다.

자동차는 모두 몇 대입니까?

식 ⬜ + ⬜ = ⬜   답 _____ 대

③ 동화책을 은비는 9권, 두비는 3권 가지고 있습니다.

두 사람이 가진 동화책은 모두 몇 권입니까?

식 ⬜ + ⬜ = ⬜   답 _____ 권

거꾸로 이어 세기 뺄셈

🐝 그림을 보고 뺄셈식을 계산해 보세요.

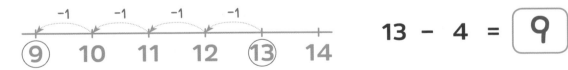

13 − 4 = 9

①

12 − 2 =

②

18 − 3 =

③

12 − 5 =

④

11 − 3 =

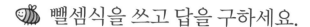

🐝 뺄셈식을 쓰고 답을 구하세요.

민희는 10살이고, 태리는 민희보다 4살 더 적습니다.

태리는 몇 살입니까?

식 **10** − **4** = **6**

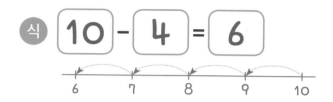

답 ___6___ 살

① 색종이가 15장 있었는데 2장을 썼습니다.

남은 색종이는 몇 장입니까?

식 [ ] − [ ] = [ ]

답 _____ 장

② 색연필이 17자루 있고, 볼펜은 색연필보다 5자루 더 적습니다.

볼펜은 몇 자루입니까?

식 [ ] − [ ] = [ ]

답 _____ 자루

③ 딸기가 12개 있었는데 4개를 먹었습니다.

남은 딸기는 몇 개입니까?

식 [ ] − [ ] = [ ]

답 _____ 개

가르기 뺄셈

🐞 그림을 보고 뺄셈식을 계산해 보세요.

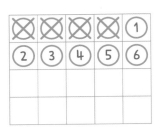

10 ─── 4
      └── 6

10 - 4 = 6

①

15 ─── 12
      └── ☐

15 - 12 = ☐

②

14 ─── 5
      └── ☐

14 - 5 = ☐

③

16 ─── 3
      └── ☐

16 - 3 = ☐

🎨 뺄셈식을 쓰고 답을 구하세요.

만두 17개를 두 그릇에 담았습니다. 왼쪽 그릇에 10개를 담았습니다.

오른쪽 그릇에 담은 만두는 몇 개입니까?

식 **17** - **10** = **7**   답 ___**7**___ 개

① 두발자전거와 세발자전거가 11대 있습니다. 두발자전거는 6대입니다.

세발자전거는 몇 대입니까?

식 ◯ - ◯ = ◯   답 _____ 대

② 색종이가 13장 있었는데 2장을 친구에게 주었습니다.

남은 색종이는 몇 장입니까?

식 ◯ - ◯ = ◯   답 _____ 장

③ 아이들이 12명 있습니다. 남자 아이는 8명입니다.

여자 아이는 몇 명입니까?

식 ◯ - ◯ = ◯   답 _____ 명

덧셈 뺄셈 문장제

✿ 식을 쓰고 답을 구하세요.

기린이 7마리이고, 코끼리가 5마리입니다.

기린과 코끼리는 모두 몇 마리입니까?

식 __7 + 5 = 12__   답 __12__ 마리

① 수연이는 10살이고, 동생은 수연이보다 5살 더 적습니다.

동생은 몇 살입니까?

식 _____   답 _____ 살

② 사과 13개를 두 바구니에 담았습니다. 왼쪽 바구니에 6개를 담았습니다.

오른쪽 바구니에 담은 사과는 몇 개입니까?

식 _____   답 _____ 개

③ 연필이 2자루 있었는데 12자루를 더 샀습니다.

연필은 몇 자루입니까?

식 _____   답 _____ 자루

덧셈식을 써야 할지 뺄셈식을 써야 할지 먼저 결정해야 해.

❀ 다음 물음에 답하세요.

남자 아이는 9명이고, 여자 아이는 남자 아이보다 8명 더 많습니다.

여자 아이는 몇 명입니까?　　　　　　　　　　**17**　명

식 : 9 + 8 = 17

① 별사탕이 14개 있었는데 6개를 먹었습니다.

남은 별사탕은 몇 개입니까?　　　　　　　　　　　　개

② 빈 병을 지수는 5병, 은하는 13병 모았습니다.

두 사람이 모은 빈 병은 모두 몇 병입니까?　　　　　　　병

③ 소나무와 전나무가 모두 12그루 있습니다. 소나무는 9그루입니다.

전나무는 몇 그루입니까?　　　　　　　　　　　그루

✏️ 그림을 보고 식을 계산해 보세요.

①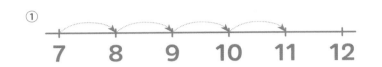

$$7 + 4 = \boxed{}$$

②

| 7 | 8 | 9 | 10 | 11 | 12 |

$$12 - 4 = \boxed{}$$

✏️ 그림을 보고 식을 계산해 보세요.

③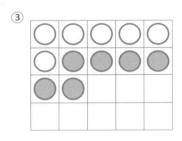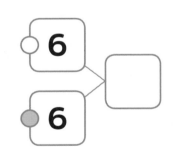

$$6 + 6 = \boxed{}$$

④

$$17 - 6 = \boxed{}$$

✏️ 덧셈식을 쓰고 답을 구하세요.

⑤ 장미가 7송이 있었는데 5송이가 더 피었습니다.

장미는 몇 송이입니까?

식 [ ] + [ ] = [ ]　　　　답 _____ 송이

⑥ 우유가 8잔, 주스가 8잔 있습니다.

우유와 주스는 모두 몇 잔입니까?

식 [ ] + [ ] = [ ]　　　　답 _____ 잔

✏️ 뺄셈식을 쓰고 답을 구하세요.

⑦ 색연필이 17자루 있고, 볼펜은 색연필보다 5자루 더 적습니다.

볼펜은 몇 자루입니까?

식 [ ] − [ ] = [ ]　　　　답 _____ 자루

⑧ 체리가 14개 있었는데 9개를 먹었습니다.

남은 체리는 몇 개입니까?

식 [ ] − [ ] = [ ]　　　　답 _____ 개

✎ 식을 쓰고 답을 구하세요.

⑨ 동전 15개가 있었는데 2개를 저금통에 넣었습니다.

   남은 동전은 몇 개입니까?

   식 _____   답 _____ 개

⑩ 집이 3채 있었는데 8채를 더 지었습니다.

   집은 몇 채입니까?

   식 _____   답 _____ 채

⑪ 빨간색 풍선은 16개이고, 노란색 풍선은 빨간색보다 10개 더 적습니다.

   노란색 풍선은 몇 개입니까?

   식 _____   답 _____ 개

⑫ 해바라기가 7송이 있었는데 9송이가 더 피었습니다.

   해바라기는 몇 송이입니까?

   식 _____   답 _____ 송이

4주차

네모가 있는 식

몇 더 커졌습니까

❀ 그림을 보고 □와 밑줄친 곳에 알맞은 수를 써넣으세요.

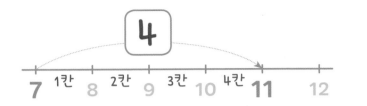

$7 + \boxed{4} = 11$

7보다 __4__ 큰 수는 11입니다.

①

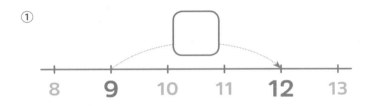

$9 + \boxed{} = 12$

9보다 _____ 큰 수는 12입니다.

②

$8 + \boxed{} = 13$

8보다 _____ 큰 수는 13입니다.

늘어나는 수를 □로 하는 덧셈식을 만들면 돼.

❀ □가 있는 덧셈식을 쓰고 답을 구하세요.

색연필이 6자루 있었습니다. 몇 자루를 더 샀더니 10자루가 되었습니다.

더 산 색연필은 몇 자루입니까?

식 **6 + □ = 10**   답 **4** 자루

① 벚나무가 11그루 있었습니다. 몇 그루를 더 심었더니 13그루가 되었습니다.

더 심은 벚나무는 몇 그루입니까?

식 _____   답 _____ 그루

② 그림책이 8권 있고, 동화책은 12권 있습니다.

동화책은 그림책보다 몇 권 더 많습니까?

식 _____   답 _____ 권

③ 유이는 10살이고, 미오는 13살입니다.

미오는 유이보다 몇 살 더 많습니까?

식 _____   답 _____ 살

🐸 그림을 보고 □와 밑줄친 곳에 알맞은 수를 써넣으세요.

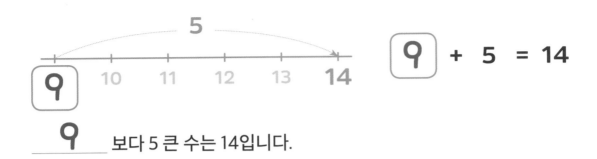

9 + 5 = 14

_9_ 보다 5 큰 수는 14입니다.

①

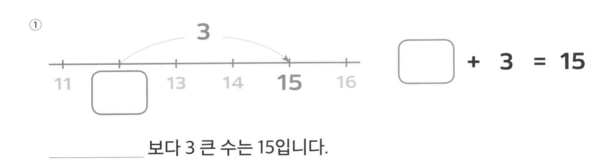

□ + 3 = 15

_____ 보다 3 큰 수는 15입니다.

②

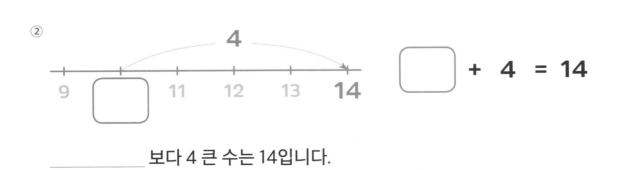

□ + 4 = 14

_____ 보다 4 큰 수는 14입니다.

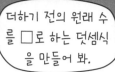

더하기 전의 원래 수를 □로 하는 덧셈식을 만들어 봐.

🐞 □가 있는 덧셈식을 쓰고 답을 구하세요.

수연이는 원희보다 2살 많은 11살입니다.

원희는 몇 살입니까?

식 ___ $\square + 2 = 11$ ___

답 ___ 9 ___ 살

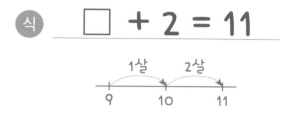

1살   2살

9   10   11

① 감자를 4개 더 캤더니 16개가 되었습니다.

원래 있던 감자는 몇 개입니까?

식 _____

답 _____ 개

② 고양이는 강아지보다 1마리 더 많은 18마리입니다.

강아지는 몇 마리입니까?

식 _____

답 _____ 마리

③ 우유를 5잔 더 따랐더니 12잔이 되었습니다.

원래 있던 우유는 몇 잔입니까?

식 _____

답 _____ 잔

🐝 그림을 보고 □와 밑줄친 곳에 알맞은 수를 써넣으세요.

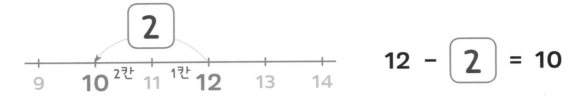

$$12 - \boxed{2} = 10$$

12보다 ___2___ 작은 수는 10입니다.

①

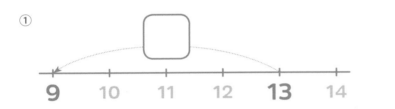

$$13 - \boxed{} = 9$$

13보다 _____ 작은 수는 9입니다.

②

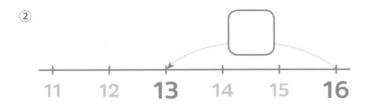

$$16 - \boxed{} = 13$$

16보다 _____ 작은 수는 13입니다.

🐝 □가 있는 뺄셈식을 쓰고 답을 구하세요.

키위가 15개 있었습니다. 몇 개를 먹었더니 12개가 남았습니다.

먹은 키위는 몇 개입니까?

식 **15 − □ = 12**　　　　답　**3**　개

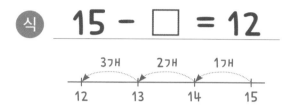

① 캥거루가 10마리 있고, 코알라가 6마리 있습니다.

코알라는 캥거루보다 몇 마리 더 적습니까?

식 ＿＿＿＿＿＿＿＿＿＿＿＿＿＿　　답 ＿＿＿＿＿＿ 마리

② 풍선이 19개 있었습니다. 몇 개가 날아가서 14개가 남았습니다.

날아간 풍선은 몇 개입니까?

식 ＿＿＿＿＿＿＿＿＿＿＿＿＿＿　　답 ＿＿＿＿＿＿ 개

③ 벚나무는 11살이고, 사과나무는 9살입니다.

사과나무는 벚나무보다 몇 살 더 적습니까?

식 ＿＿＿＿＿＿＿＿＿＿＿＿＿＿　　답 ＿＿＿＿＿＿ 살

🐞 그림을 보고 □와 밑줄친 곳에 알맞은 수를 써넣으세요.

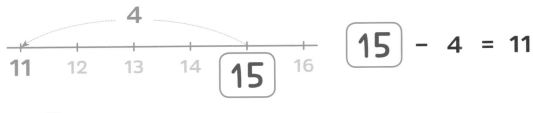

$$\boxed{15} - 4 = 11$$

___15___ 보다 4 작은 수는 11입니다.

①

$$\boxed{} - 2 = 9$$

_____ 보다 2 작은 수는 9입니다.

②

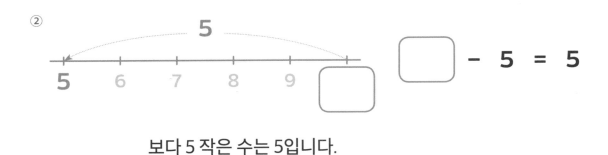

$$\boxed{} - 5 = 5$$

_____ 보다 5 작은 수는 5입니다.

말풍선: 빼기 전의 원래 수를 □로 하는 뺄셈식을 만들어 봐.

🎨 □가 있는 뺄셈식을 쓰고 답을 구하세요.

스티커를 4장 붙였더니 8장이 남았습니다.

원래 있던 스티커는 몇 장입니까?

식 $\square - 4 = 8$

답 12 장

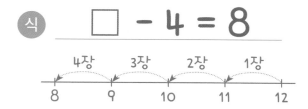

① 지혜는 성재보다 1살 적은 15살입니다.

성재는 몇 살입니까?

식

답 ＿＿＿＿＿ 살

② 초콜릿을 5개 먹었더니 9개가 남았습니다.

원래 있던 초콜릿은 몇 개입니까?

식

답 ＿＿＿＿＿ 개

③ 장미는 튤립보다 3송이 더 적은 16송이입니다.

튤립은 몇 송이입니까?

식 ＿＿＿＿＿＿＿＿＿＿＿＿

답 ＿＿＿＿＿ 송이

✿ □가 있는 식을 쓰고 답을 구하세요.

원숭이가 7마리 있었습니다. 몇 마리 더 와서 12마리가 되었습니다.
더 온 원숭이는 몇 마리입니까?

식 __7 + □ = 12__   답 __5__ 마리

① 아이린은 켄지보다 2살 많은 13살입니다.
켄지는 몇 살입니까?

식 _____   답 _____ 살

② 얼음이 4개 녹아서 10개 남았습니다.
원래 있던 얼음은 몇 개입니까?

식 _____   답 _____ 개

③ 머핀이 13개 있었습니다. 몇 개를 먹어서 9개가 남았습니다.
먹은 머핀은 몇 개입니까?

식 _____   답 _____ 개

✿ 다음 물음에 답하세요.

노란색 풍선은 보라색 풍선보다 3개 더 적은 8개입니다.

보라색 풍선은 몇 개입니까?　　　　　　　　　　**11** 개

식 : □ − 3 = 8, □ = 11

① 소나무 12그루가 있었습니다. 몇 그루를 더 심었더니 16그루가 되었습니다.

더 심은 소나무는 몇 그루입니까?　　　　　　　　　　그루

② 버스가 18대 있었습니다. 몇 대가 떠나서 16대가 남았습니다.

떠난 버스는 몇 대입니까?　　　　　　　　　　대

③ 주사위를 3개 더 샀더니 12개가 되었습니다.

원래 있던 주사위는 몇 개입니까?　　　　　　　　　　개

✎ 그림을 보고 □와 밑줄친 곳에 알맞은 수를 써넣으세요.

①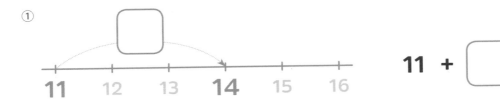

$$11 + \boxed{} = 14$$

11보다 _____ 큰 수는 14입니다.

②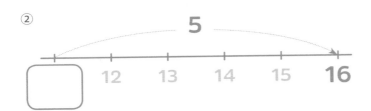

$$\boxed{} + 5 = 16$$

_____보다 5 큰 수는 16입니다.

③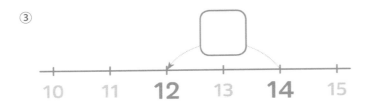

$$14 - \boxed{} = 12$$

14보다 _____ 작은 수는 12입니다.

✏️ □가 있는 덧셈식을 쓰고 답을 구하세요.

④ 우상이는 준우보다 4살 많은 17살입니다.

준우는 몇 살입니까?

식 _____   답 _____ 살

⑤ 종이학이 9마리 있었습니다. 몇 마리를 더 접었더니 14마리가 되었습니다.

더 접은 종이학은 몇 마리입니까?

식 _____   답 _____ 마리

✏️ □가 있는 뺄셈식을 쓰고 답을 구하세요.

⑥ 색종이가 10장 있었습니다. 몇 장을 썼더니 9장이 남았습니다.

쓴 색종이는 몇 장입니까?

식 _____   답 _____ 장

⑦ 남자 아이는 여자 아이보다 3명 더 적은 13명입니다.

여자 아이는 몇 명입니까?

식 _____   답 _____ 명

✎ 다음 물음에 답하세요.

⑧ 볼펜은 14자루, 연필은 17자루입니다.

연필은 볼펜보다 몇 자루 더 많습니까?　　　　　　＿＿＿＿＿＿＿ 자루

⑨ 우리 집 강아지는 10살입니다.

강아지가 5살이었던 것은 몇 년 전입니까?　　　　　　＿＿＿＿＿＿＿ 년

⑩ 우표를 4장 더 모았더니 19장이 되었습니다.

원래 있던 우표는 몇 장입니까?　　　　　　＿＿＿＿＿＿＿ 장

⑪ 가위는 딱풀보다 1개 더 적은 12개입니다.

딱풀은 몇 개입니까?　　　　　　＿＿＿＿＿＿＿ 개

진단평가

진단평가에는 앞에서 학습한 4주차의 문장제 활동이 순서대로 나옵니다. 잘못 푼 문제가 있으면 몇 주차인지 확인하여 반드시 한 번 더 복습해 봅니다.

1주차	3주차
2주차	4주차

✎ 수직선을 이용하여 2 큰 수 또는 작은 수를 구하세요.

① 13보다 1 작은 수는 12이고, 2 작은 수는 _____ 입니다.

② 8보다 1 큰 수는 9이고, 2 큰 수는 _____ 입니다.

③ 11보다 1 작은 수는 10이고, 2 작은 수는 _____ 입니다.

✎ 다음 물음에 답하세요.

④ 참새가 8마리, 비둘기가 7마리입니다.

참새와 비둘기는 모두 몇 마리입니까? _____ 마리

⑤ 토마토 15개를 두 그릇에 담았습니다. 왼쪽 접시에 11개를 담았습니다.

오른쪽 접시에 담은 토마토는 몇 개입니까? _____ 개

✎ 뺄셈식을 쓰고 답을 구하세요.

⑥ 딸기가 12개 있었는데 4개를 먹었습니다.

   남은 딸기는 몇 개입니까?

   식 ☐ − ☐ = ☐   답 _____ 개

⑦ 문어와 오징어가 18마리 있습니다. 문어는 5마리입니다.

   오징어는 몇 마리입니까?

   식 ☐ − ☐ = ☐   답 _____ 마리

✎ □가 있는 덧셈식을 쓰고 답을 구하세요.

⑧ 사과는 12개 있고, 복숭아는 15개 있습니다.

   복숭아는 사과보다 몇 개 더 많습니까?

   식 _____   답 _____ 개

⑨ 자전거가 2대 더 와서 10대가 되었습니다.

   원래 있던 자전거는 몇 대입니까?

   식 _____   답 _____ 대

✎ 수직선을 이용하여 알맞은 수를 구하세요.

① 민기는 11살이고, 동생은 민기보다 2살 더 적습니다.

동생은 _____ 살입니다.

② 토끼는 14마리 있고, 거북이는 토끼보다 2마리 더 많습니다.

거북이는 _____ 마리입니다.

✎ 알맞게 ○표 또는 ●표 하고, 빈 곳에 모은 수를 써넣으세요.

③
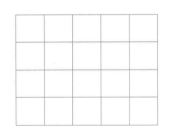

④
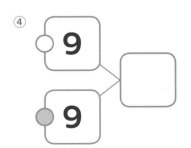
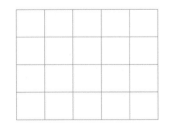

✎ 덧셈식을 쓰고 답을 구하세요.

⑤ 스티커를 쟝은 11장 모았고, 마리아는 쟝보다 4장 더 많이 모았습니다.

마리아가 모은 스티커는 몇 장입니까?

식 [ ] + [ ] = [ ]

답 _____ 장

⑥ 동전이 왼손에 12개, 오른손에 6개입니다.

동전은 모두 몇 개입니까?

식 [ ] + [ ] = [ ]

답 _____ 개

✎ 다음 물음에 답하세요.

⑦ 백합이 9송이 있었습니다. 몇 송이 더 피었더니 12송이가 되었습니다.

더 핀 백합은 몇 송이입니까?

_____ 송이

⑧ 마리는 노아보다 5살 더 적은 13살입니다.

노아는 몇 살입니까?

_____ 살

✏️ 다음 물음에 답하세요.

① 레미는 15살이고, 수아는 레미보다 4살 더 적습니다.

수아는 몇 살입니까? _____ 살

② 장미가 13송이 피어 있는데 5송이 더 피었습니다.

장미는 몇 송이입니까? _____ 송이

✏️ 다음 물음에 답하세요.

③ 셔츠와 바지가 13벌 있습니다. 셔츠는 7벌입니다.

바지는 몇 벌입니까? _____ 벌

④ 빨간색 장갑이 4켤레, 파란색 장갑이 12켤레 있습니다.

장갑은 모두 몇 켤레입니까? _____ 켤레

✎ 그림을 보고 식을 계산해 보세요.

⑤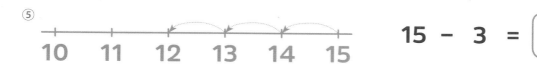

$15 - 3 = \boxed{}$

⑥

$10 + 5 = \boxed{}$

✎ 그림을 보고 □와 밑줄친 곳에 알맞은 수를 써넣으세요.

⑦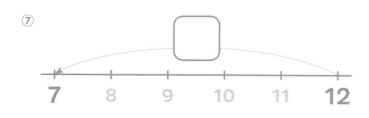

$12 - \boxed{} = 7$

12보다 _____ 작은 수는 7입니다.

⑧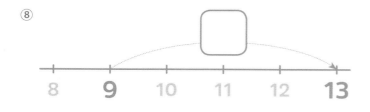

$9 + \boxed{} = 13$

9보다 _____ 큰 수는 13입니다.

✎ 수직선을 이용하여 몇 크거나 작은 수를 구하세요.

① 16보다 4 큰 수는 얼마입니까? _____

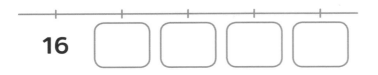

② 14보다 5 작은 수는 얼마입니까? _____

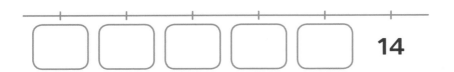

✎ 알맞게 ✕표 하고, 빈 곳에 남은 수를 써넣으세요.

③

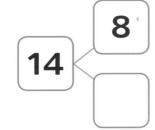

④

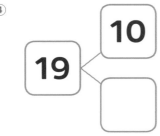

✎ 다음 물음에 답하세요.

⑤ 빨간색 치마는 10벌이고, 초록색 치마는 빨간색보다 6벌 더 적습니다.

초록색 치마는 몇 벌입니까? _____ 벌

⑥ 김밥을 6줄 샀는데 9줄을 더 샀습니다.

김밥은 몇 줄입니까? _____ 줄

✎ 그림을 보고 □와 밑줄친 곳에 알맞은 수를 써넣으세요.

⑦

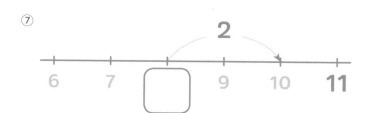

$\boxed{} + 2 = 10$

_____ 보다 2 큰 수는 10입니다.

⑧

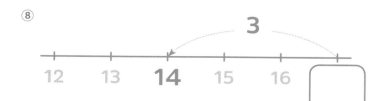

$\boxed{} - 3 = 14$

_____ 보다 3 작은 수는 14입니다.

✎ 다음 물음에 답하세요.

① 양말을 미래는 7켤레 샀고, 은지는 미래보다 5켤레 더 많이 샀습니다.

은지가 산 양말은 몇 켤레입니까? _____ 켤레

② 여우가 19마리 있고, 호랑이는 여우보다 3마리 더 적습니다.

호랑이는 몇 마리입니까? _____ 마리

✎ 다음 물음에 답하세요.

③ 스티커를 노마는 10장, 레이는 7장 모았습니다.

두 사람이 모은 스티커는 모두 몇 장입니까? _____ 장

④ 만두가 17개 있었는데 5개를 먹었습니다.

남은 만두는 몇 개입니까? _____ 개

✎ 그림을 보고 식을 계산해 보세요.

⑤ 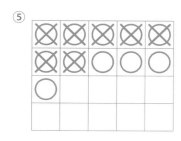 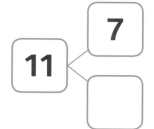   11 − 7 = ☐

⑥ 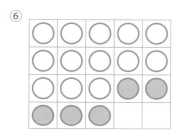 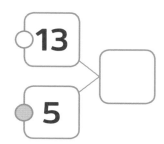   13 + 5 = ☐

✎ ☐가 있는 뺄셈식을 쓰고 답을 구하세요.

⑦ 곰 인형이 12개, 강아지 인형이 11개입니다.

강아지 인형은 곰 인형보다 몇 개 더 적습니까?

식 _____ 답 _____ 개

⑧ 구슬을 4개 잃어버렸더니 7개가 남았습니다.

원래 있던 구슬은 몇 개입니까?

식 _____ 답 _____ 개

하루 10분 서술형/문장제 학습지

씨투엠

수학 독해

정답

P3 덧셈과 뺄셈

6세~8세

정답

P3 덧셈과 뺄셈
6세~8세

이어 세기

P 06 ~ 07

1일 1 큰 수와 1 작은 수

어떤 수보다 1 더 많은 수는 1 큰 수와 같아.

❀ 주어진 수보다 1 큰 수와 1 작은 수를 각각 구하세요.

9보다 1 큰 수는 **10** 입니다.
9보다 1 작은 수는 **8** 입니다.

①
12 13 14
13보다 1 큰 수는 **14** 입니다.
13보다 1 작은 수는 **12** 입니다.

②
14 15 16
15보다 1 큰 수는 **16** 입니다.
15보다 1 작은 수는 **14** 입니다.

③
17 18 19
18보다 1 큰 수는 **19** 입니다.
18보다 1 작은 수는 **17** 입니다.

❀ 수직선을 이용하여 알맞은 수를 구하세요.

토끼가 3마리 있고, 원숭이는 토끼보다 1마리 더 많습니다.
원숭이는 **4** 마리입니다.

① 여자 아이가 9명 있고, 남자 아이는 여자 아이보다 1명 더 많습니다.
남자 아이는 **10** 명입니다.
8 9 10

② 연필이 12자루 있고, 볼펜은 연필보다 1자루 더 적습니다.
볼펜은 **11** 자루입니다.
11 12 13

③ 사과가 16개 있고, 복숭아는 사과보다 1개 더 적습니다.
복숭아는 **15** 개입니다.
15 16 17

P 08 ~ 09

2일 2 큰 수 구하기

1 큰 수보다 1 더 큰 수는 2 큰 수야.

✿ 수를 이어 세어 2 큰 수를 구하세요.

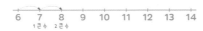
6 7 8 9 10 11 12 13 14

6보다 1 큰 수는 7이고, 2 큰 수는 **8** 입니다.

① 9보다 1 큰 수는 10이고, 2 큰 수는 **11** 입니다.

② 12보다 1 큰 수는 13이고, 2 큰 수는 **14** 입니다.

③ 7보다 1 큰 수는 8이고, 2 큰 수는 **9** 입니다.

④ 10보다 1 큰 수는 11이고, 2 큰 수는 **12** 입니다.

✿ 수직선을 이용하여 알맞은 수를 구하세요.

시은이는 사탕을 8개 먹었고, 은아는 시은이보다 2개 더 많이 먹었습니다.
은아가 먹은 사탕은 **10** 개입니다.

7 8 9 10

① 셔츠가 9벌 있고, 바지는 셔츠보다 2벌 더 많습니다.
바지는 **11** 벌입니다.

9 10 11 12

② 어제 닭들이 달걀을 5개 낳았고, 오늘은 어제보다 2개 더 많이 낳았습니다.
오늘 낳은 달걀은 **7** 개입니다.
5 6 7 8

③ 장미는 12송이 있고, 튤립은 장미보다 2송이 더 많습니다.
튤립은 **14** 송이입니다.

11 12 13 14

3일 2 작은 수 구하기

수직선에서 왼쪽으로
2칸 가면 원래 수보다
2 작은 수야.

🐝 수를 거꾸로 이어 세어 2 작은 수를 구하세요.

8 9 10 11 12 13 14 15 16
2 작은 수 1 작은 수

12보다 1 작은 수는 11이고, 2 작은 수는 **10** 입니다.

① 15보다 1 작은 수는 14이고, 2 작은 수는 **13** 입니다.

② 10보다 1 작은 수는 9이고, 2 작은 수는 **8** 입니다.

③ 14보다 1 작은 수는 13이고, 2 작은 수는 **12** 입니다.

④ 11보다 1 작은 수는 10이고, 2 작은 수는 **9** 입니다.

🐝 수직선을 이용하여 알맞은 수를 구하세요.

소나무가 13그루 있고, 은행나무는 소나무보다 2그루 더 적습니다.

은행나무는 **11** 그루입니다.

11 12 13 14
2 작은 수 1 작은 수

① 오빠는 올해 10살이고, 나는 오빠보다 2살 더 적습니다.

나는 **8** 살입니다.

7 8 9 10

② 희재는 책을 12권 읽었고, 지우는 희재보다 책을 2권 더 적게 읽었습니다.

지우가 읽은 책은 **10** 권입니다.

10 11 12 13

③ 버스가 18대 있고, 트럭은 버스보다 2대 더 적습니다.

트럭은 **16** 대입니다.

15 16 17 18

4일 몇 큰 수는 얼마입니까

수를 이어서
셀 수 있다면 간단
하게 풀 수 있어.

🐞 수직선을 이용하여 몇 큰 수를 구하세요.

8보다 3 큰 수는 얼마입니까? **11**

8 9 10 11
1 큰 수 2 큰 수 3 큰 수

① 9보다 3 큰 수는 얼마입니까? **12**

9 10 11 12

② 7보다 4 큰 수는 얼마입니까? **11**

7 8 9 10 11

③ 10보다 5 큰 수는 얼마입니까? **15**

10 11 12 13 14 15

🐞 다음 물음에 답하세요.

자동차가 7대 있었는데 자동차 3대가 더 왔습니다.

자동차는 몇 대입니까? **10** 대

7 8 9 10

① 빨간색 풍선은 9개 있고, 파란색 풍선은 빨간색보다 4개 더 많습니다.

파란색 풍선은 몇 개입니까? **13** 개

② 기혁이는 6살이고, 고은이는 기혁보다 5살 더 많습니다.

고은이는 몇 살입니까? **11** 살

③ 수아는 인형이 12개 있고, 가연이는 수아보다 인형이 3개 더 많습니다.

가연이가 가진 인형은 몇 개입니까? **15** 개

이어 세기

P 14 ~ 15

5일 몇 작은 수는 얼마입니까

들들이 수를 거꾸로 이어서 세는 연습을 해 봐.

❀ 수직선을 이용하여 몇 작은 수를 구하세요.

12보다 3 작은 수는 얼마입니까? **9**

| 9 | 10 | 11 | 12 |
3 작은 수 2 작은 수 1 작은 수

① 14보다 3 작은 수는 얼마입니까? **11**

| 11 | 12 | 13 | 14 |

② 10보다 4 작은 수는 얼마입니까? **6**

| 6 | 7 | 8 | 9 | 10 |

③ 13보다 5 작은 수는 얼마입니까? **8**

| 8 | 9 | 10 | 11 | 12 | 13 |

❀ 다음 물음에 답하세요.

초콜릿이 11개 있었는데 4개를 먹었습니다.
남은 초콜릿은 몇 개입니까? **7** 개

7 8 9 10 11

① 강아지는 12마리 있고, 고양이는 강아지보다 4마리 더 적습니다.
고양이는 몇 마리입니까? **8** 마리

② 동전이 15개 있었는데 3개를 잃어버렸습니다.
남은 동전은 몇 개입니까? **12** 개

③ 두기는 색종이가 12장 있고, 세희는 두기보다 색종이가 5장 더 적습니다.
세희가 가진 색종이는 몇 장입니까? **7** 장

P 16 ~ 17

확인학습

✎ 수직선을 이용하여 2 큰 수 또는 작은 수를 구하세요.

9 10 11 12 13 14 15 16 17

① 9보다 1 큰 수는 10이고, 2 큰 수는 **11** 입니다.

② 16보다 1 작은 수는 15이고, 2 작은 수는 **14** 입니다.

③ 13보다 1 작은 수는 12이고, 2 작은 수는 **11** 입니다.

✎ 수직선을 이용하여 알맞은 수를 구하세요.

④ 어제 책을 8쪽 읽었고, 오늘은 어제보다 2쪽 더 많이 읽었습니다.
오늘 읽은 책은 **10** 쪽입니다.

7 8 9 10

⑤ 장갑은 15컬레 있고, 신발은 장갑보다 2컬레 더 적습니다.
신발은 **13** 컬레입니다.

12 13 14 15

✎ 수직선을 이용하여 몇 크거나 작은 수를 구하세요.

⑥ 10보다 4 큰 수는 얼마입니까? **14**

10 | 11 | 12 | 13 | 14 |

⑦ 15보다 3 작은 수는 얼마입니까? **12**

| 12 | 13 | 14 | 15 |

⑧ 12보다 4 작은 수는 얼마입니까? **8**

| 8 | 9 | 10 | 11 | 12 |

⑨ 6보다 5 큰 수는 얼마입니까? **11**

6 | 7 | 8 | 9 | 10 | 11 |

P 18

확인학습

✎ 다음 물음에 답하세요.

⑩ 노란색 색종이는 10장이고, 초록색 색종이는 노란색보다 4장 더 많습니다.

초록색 색종이는 몇 장입니까?   __14__ 장

⑪ 윤아는 감자를 15개 캤고, 진아는 윤아보다 감자를 3개 더 적게 캤습니다.

진아가 캔 감자는 몇 개입니까?   __12__ 개

⑫ 연필이 13자루 있었는데 4자루를 동생에게 주었습니다.

남은 연필은 몇 자루입니까?   __9__ 자루

⑬ 현우는 공책을 9권 샀고, 강재는 현우보다 공책을 5권 더 샀습니다.

강재가 산 공책은 몇 권입니까?   __14__ 권

P 20 ~ 21

1일 십과 몇

심과 일은 십일,
심과 이는 십이,
심과 삼은 십삼.

❀ 그림을 보고 빈 곳에 알맞은 수를 써넣으세요.

십
10
15 십오
5
오

① **10** **12**
2

② **10** **18**
8

③ **10** **14**
4

❀ 빈 곳과 밑줄친 곳에 알맞은 수를 써넣으세요.

십
10 **11** 십일
1
일

책이 10권 있고, 1권 더 있습니다.
책은 모두 **11** 권입니다.

① **10** **17**
7

사과가 10개 있고, 7개 더 있습니다.
사과는 모두 **17** 개입니다.

② **10** **13**
3

강아지가 10마리 있고, 3마리 더 있습니다.
강아지는 모두 **13** 마리입니다.

③ **10** **19**
9

은행나무가 10그루 있고, 9그루 더 있습니다.
은행나무는 모두 **19** 그루입니다.

P 22 ~ 23

2일 10 모으기, 10 가르기

모으면 ㅐ가 되
는 두 수의 짝을
모두 알아보자.

🍁 그림을 보고 빈 곳에 알맞은 수를 써넣으세요.

3 **10**
7

3 **10**
7

① **4** **10**
6

4 **10**
6

② **8** **10**
2

8 **10**
2

③ **5** **10**
5

5 **10**
5

🍁 그림을 보고 밑줄친 곳에 알맞은 수를 써넣으세요.

9와 **1** 을 모으면 10입니다.

10은 **9** 와 1로 가를 수 있습니다.

① **7** 과 3을 모으면 10입니다.

10은 7과 **3** 으로 가를 수 있습니다.

② 2와 **8** 을 모으면 10입니다.

10은 **2** 와 8로 가를 수 있습니다.

P 24 ~ 25

3일 10보다 큰 모으기와 가르기

P 26 ~ 27

4일 모으기 문장제

P 28 ~ 29

5일 가르기 문장제

한 곳에 있던 것을 둘로 나누거나 한꺼번에 수가 줄어드는 문제야.

알맞게 ×표 하고, 빈 곳에 남은 수를 써넣으세요.

12 < 4 / 8

① 15 < 8 / 7

② 17 < 4 / 13

③ 13 < 7 / 6

다음 물음에 답하세요.

튤립이 13송이 있었는데 6송이를 친구에게 나누어 주었습니다.
남은 튤립은 몇 송이입니까? __7__ 송이

① 쿠키 14개를 두 접시에 담았습니다. 왼쪽 접시에 3개를 담았습니다.
오른쪽 접시에 담은 쿠키는 몇 개입니까? __11__ 개

② 토끼와 햄스터가 12마리 있습니다. 토끼는 5마리입니다.
햄스터는 몇 마리입니까? __7__ 마리

③ 사탕이 18개 있었는데 9개를 먹었습니다.
남은 사탕은 몇 개입니까? __9__ 개

P 30 ~ 31

확인학습

알맞게 ○표 또는 ●표 하고, 빈 곳에 모은 수를 써넣으세요.

① 7 / 9 — 16

② 13 / 4 — 17

알맞게 ×표 하고, 빈 곳에 남은 수를 써넣으세요.

③ 16 < 5 / 11

④ 11 < 3 / 8

다음 물음에 답하세요.

⑤ 딸기가 왼쪽 접시에 3개, 오른쪽 접시에 9개 있습니다.
딸기는 모두 몇 개입니까? __12__ 개

⑥ 버스가 10대, 트럭이 8대 있습니다.
버스와 트럭은 모두 몇 대입니까? __18__ 대

⑦ 동전을 정우는 8개, 진영이는 6개 가지고 있습니다.
두 사람이 가진 동전은 모두 몇 개입니까? __14__ 개

⑧ 우유가 7잔, 주스가 4잔 담겨 있습니다.
우유와 주스는 모두 몇 잔입니까? __11__ 잔

P 32

확인학습

✎ 다음 물음에 답하세요.

⑨ 색종이가 15장 있었는데 7장을 썼습니다.

　　남은 색종이는 몇 장입니까?　　　　　　　__8__　장

⑩ 구슬 11개를 두 상자에 담았습니다. 왼쪽 상자에 9개를 담았습니다.

　　오른쪽 상자에 담은 구슬은 몇 개입니까?　　　__2__　개

⑪ 까마귀와 까치가 19마리 있습니다. 까마귀는 14마리입니다.

　　까치는 몇 마리입니까?　　　　　　　　　　__5__　마리

⑫ 나무 16그루가 있었는데 3그루를 옮겨 심었습니다.

　　남은 나무는 몇 그루입니까?　　　　　　　__13__　그루

덧셈식과 뺄셈식

P 34 ~ 35

1일 이어 세기 덧셈

❀ 그림을 보고 덧셈식을 계산해 보세요.

```
    +1  +1  +1
8   9   10  11  12  13
```
9 + 3 = [12]

①
```
8   9   10  11  12  13
```
9 + 4 = [13]

②
```
6   7   8   9   10  11
```
6 + 5 = [11]

③
```
6   7   8   9   10  11
```
7 + 3 = [10]

④
```
12  13  14  15  16  17
```
12 + 4 = [16]

❀ 덧셈식을 쓰고 답을 구하세요.

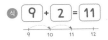

감자는 9개 있고, 당근은 감자보다 2개 더 많습니다.
당근은 몇 개입니까?

식 [9] + [2] = [11]   답 __11__ 개
```
9   10  11  12
```

① 은행나무가 7그루 있었는데 3그루를 더 심었습니다.
은행나무는 몇 그루입니까?

식 [7] + [3] = [10]   답 __10__ 그루

② 공주는 반지가 14개 있고, 왕비는 공주보다 반지가 4개 더 많습니다.
왕비가 가진 반지는 몇 개입니까?

식 [14] + [4] = [18]   답 __18__ 개

③ 강아지는 8살이고, 고양이는 강아지보다 5살 더 많습니다.
고양이는 몇 살입니까?

식 [8] + [5] = [13]   답 __13__ 살

P 36 ~ 37

2일 모으기 덧셈

❀ 그림을 보고 덧셈식을 계산해 보세요.

5
13
8
5 + 8 = [13]

①
7
16
9
7 + 9 = [16]

②
10
14
4
10 + 4 = [14]

③
6
17
11
6 + 11 = [17]

❀ 덧셈식을 쓰고 답을 구하세요.

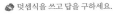

연필이 필통 안에 6자루, 필통 밖에 9자루 있습니다.
연필은 모두 몇 자루입니까?

식 [6] + [9] = [15]   답 __15__ 자루

① 여자 아이가 11명, 남자 아이가 8명 있습니다.
아이들은 모두 몇 명입니까?

식 [11] + [8] = [19]   답 __19__ 명

② 검은색 자동차가 4대, 흰색 자동차가 6대 있습니다.
자동차는 모두 몇 대입니까?

식 [4] + [6] = [10]   답 __10__ 대

③ 동화책을 은비는 9권, 두비는 3권 가지고 있습니다.
두 사람이 가진 동화책은 모두 몇 권입니까?

식 [9] + [3] = [12]   답 __12__ 권

P 38 ~ 39

3일 거꾸로 이어 세기 뺄셈

그림을 보고 뺄셈식을 계산해 보세요.

13 - 4 = 9

12 - 2 = 10

18 - 3 = 15

12 - 5 = 7

11 - 3 = 8

뺄셈식을 쓰고 답을 구하세요.

민희는 10살이고, 태리는 민희보다 4살 더 적습니다. 태리는 몇 살입니까?

식 10 - 4 = 6   답 6 살

① 색종이가 15장 있었는데 2장을 썼습니다. 남은 색종이는 몇 장입니까?

식 15 - 2 = 13   답 13 장

② 색연필이 17자루 있고, 볼펜은 색연필보다 5자루 더 적습니다. 볼펜은 몇 자루입니까?

식 17 - 5 = 12   답 12 자루

③ 딸기가 12개 있었는데 4개를 먹었습니다. 남은 딸기는 몇 개입니까?

식 12 - 4 = 8   답 8 개

P 40 ~ 41

4일 가르기 뺄셈

그림을 보고 뺄셈식을 계산해 보세요.

 10   10 - 4 = 6

15   15 - 12 = 3

14   14 - 5 = 9

16   16 - 3 = 13

뺄셈식을 쓰고 답을 구하세요.

만두 17개를 두 그릇에 담았습니다. 왼쪽 그릇에 10개를 담았습니다. 오른쪽 그릇에 담은 만두는 몇 개입니까?

식 17 - 10 = 7   답 7 개

① 두발자전거와 세발자전거가 11대 있습니다. 두발자전거는 6대입니다. 세발자전거는 몇 대입니까?

식 11 - 6 = 5   답 5 대

② 색종이가 13장 있었는데 2장을 친구에게 주었습니다. 남은 색종이는 몇 장입니까?

식 13 - 2 = 11   답 11 장

③ 아이들이 12명 있습니다. 남자 아이는 8명입니다. 여자 아이는 몇 명입니까?

식 12 - 8 = 4   답 4 명

정답 11

덧셈식과 뺄셈식

P 42 ~ 43

5일 덧셈 뺄셈 문장제

덧셈식을 써야 할지
뺄셈식을 써야 할지
먼저 결정해야 해.

❀ 식을 쓰고 답을 구하세요.

기린이 7마리이고, 코끼리가 5마리입니다.
기린과 코끼리는 모두 몇 마리입니까?

식 __7 + 5 = 12__   답 __12__ 마리

① 수연이는 10살이고, 동생은 수연이보다 5살 더 적습니다.
동생은 몇 살입니까?

식 __10 - 5 = 5__   답 __5__ 살

② 사과 13개를 두 바구니에 담았습니다. 왼쪽 바구니에 6개를 담았습니다.
오른쪽 바구니에 담은 사과는 몇 개입니까?

식 __13 - 6 = 7__   답 __7__ 개

③ 연필이 2자루 있었는데 12자루를 더 샀습니다.
연필은 몇 자루입니까?

식 __2 + 12 = 14__   답 __14__ 자루

❀ 다음 물음에 답하세요.

남자 아이는 9명이고, 여자 아이는 남자 아이보다 8명 더 많습니다.
여자 아이는 몇 명입니까?   __17__ 명

식 : 9 + 8 = 17

① 별사탕이 14개 있었는데 6개를 먹었습니다.
남은 별사탕은 몇 개입니까?   __8__ 개

② 빈 병을 지수는 5병, 은하는 13병 모았습니다.
두 사람이 모은 빈 병은 모두 몇 병입니까?   __18__ 병

③ 소나무와 전나무가 모두 12그루 있습니다. 소나무는 9그루입니다.
전나무는 몇 그루입니까?   __3__ 그루

P 44 ~ 45

확인학습

✎ 그림을 보고 식을 계산해 보세요.

①
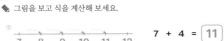
7 8 9 10 11 12

7 + 4 = 11

②
7 8 9 10 11 12

12 - 4 = 8

✎ 그림을 보고 식을 계산해 보세요.

③

6
12
6

6 + 6 = 12

④
6
17
11

17 - 6 = 11

✎ 덧셈식을 쓰고 답을 구하세요.

⑤ 장미가 7송이 있었는데 5송이가 더 피었습니다.
장미는 몇 송이입니까?

식 7 + 5 = 12   답 __12__ 송이

⑥ 우유가 8잔, 주스가 8잔 있습니다.
우유와 주스는 모두 몇 잔입니까?

식 8 + 8 = 16   답 __16__ 잔

✎ 뺄셈식을 쓰고 답을 구하세요.

⑦ 색연필이 17자루 있고, 볼펜은 색연필보다 5자루 더 적습니다.
볼펜은 몇 자루입니까?

식 17 - 5 = 12   답 __12__ 자루

⑧ 체리가 14개 있었는데 9개를 먹었습니다.
남은 체리는 몇 개입니까?

식 14 - 9 = 5   답 __5__ 개

P 46

확인학습

✎ 식을 쓰고 답을 구하세요.

⑨ 동전 15개가 있었는데 2개를 저금통에 넣었습니다.
남은 동전은 몇 개입니까?

식   15 − 2 = 13   답   13 개

⑩ 집이 3채 있었는데 8채를 더 지었습니다.
집은 몇 채입니까?

식   3 + 8 = 11   답   11 채

⑪ 빨간색 풍선은 16개이고, 노란색 풍선은 빨간색보다 10개 더 적습니다.
노란색 풍선은 몇 개입니까?

식   16 − 10 = 6   답   6 개

⑫ 해바라기가 7송이가 있었는데 9송이가 더 피었습니다.
해바라기는 몇 송이입니까?

식   7 + 9 = 16   답   16 송이

네모가 있는 식

P 48 ~ 49

1일 몇 더 커졌습니까

늘어나는 수를 □로 하는 덧셈식을 만들면 돼.

❀ 그림을 보고 □와 밑줄친 곳에 알맞은 수를 써넣으세요.

7 + [4] = 11

7보다 **4** 큰 수는 11입니다.

①

9 + [3] = 12

9보다 **3** 큰 수는 12입니다.

②

8 + [5] = 13

8보다 **5** 큰 수는 13입니다.

❀ □가 있는 덧셈식을 쓰고 답을 구하세요.

색연필이 6자루 있었습니다. 몇 자루를 더 샀더니 10자루가 되었습니다. 더 산 색연필은 몇 자루입니까?

식   **6 + □ = 10**   답   **4** 자루

1자루 2자루 3자루 4자루
6 7 8 9 10

① 벚나무가 11그루 있었습니다. 몇 그루를 더 심었더니 13그루가 되었습니다. 더 심은 벚나무는 몇 그루입니까?

식   **11 + □ = 13**   답   **2** 그루

② 그림책이 8권 있고, 동화책은 12권 있습니다. 동화책은 그림책보다 몇 권 더 많습니까?

식   **8 + □ = 12**   답   **4** 권

③ 유이는 10살이고, 미오는 13살입니다. 미오는 유이보다 몇 살 더 많습니까?

식   **10 + □ = 13**   답   **3** 살

P 50 ~ 51

2일 더하기 전 원래 수

더하기 전의 원래 수를 □로 하는 덧셈식을 만들어 봐.

✎ 그림을 보고 □와 밑줄친 곳에 알맞은 수를 써넣으세요.

[9] + 5 = 14

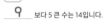

9 보다 5 큰 수는 14입니다.

①

[12] + 3 = 15

12 보다 3 큰 수는 15입니다.

②

[10] + 4 = 14

10 보다 4 큰 수는 14입니다.

✎ □가 있는 덧셈식을 쓰고 답을 구하세요.

수연이는 원희보다 2살 많은 11살입니다. 원희는 몇 살입니까?

식   **□ + 2 = 11**   답   **9** 살

1살 2살
9 10 11

① 감자를 4개 더 캤더니 16개가 되었습니다. 원래 있던 감자는 몇 개입니까?

식   **□ + 4 = 16**   답   **12** 개

② 고양이는 강아지보다 1마리 더 많은 18마리입니다. 강아지는 몇 마리입니까?

식   **□ + 1 = 18**   답   **17** 마리

③ 우유를 5잔 더 따랐더니 12잔이 되었습니다. 원래 있던 우유는 몇 잔입니까?

식   **□ + 5 = 12**   답   **7** 잔

P 52 ~ 53

3일 몇 더 작아졌습니까

🐝 그림을 보고 □와 밑줄친 곳에 알맞은 수를 써넣으세요.

$12 - \boxed{2} = 10$

12보다 __2__ 작은 수는 10입니다.

①

$\boxed{4}$

$13 - \boxed{4} = 9$

13보다 __4__ 작은 수는 9입니다.

②

$\boxed{3}$

$16 - \boxed{3} = 13$

16보다 __3__ 작은 수는 13입니다.

🐝 □가 있는 뺄셈식을 쓰고 답을 구하세요.

키위가 15개 있었습니다. 몇 개를 먹었더니 12개가 남았습니다.
먹은 키위는 몇 개입니까?

식 $15 - \boxed{} = 12$ 답 __3__ 개

① 캥거루가 10마리 있고, 코알라가 6마리 있습니다.
코알라는 캥거루보다 몇 마리 더 적습니까?

식 $10 - \boxed{} = 6$ 답 __4__ 마리

② 풍선이 19개 있었습니다. 몇 개가 날아가서 14개가 남았습니다.
날아간 풍선은 몇 개입니까?

식 $19 - \boxed{} = 14$ 답 __5__ 개

③ 벚나무는 11살이고, 사과나무는 9살입니다.
사과나무는 벚나무보다 몇 살 더 적습니까?

식 $11 - \boxed{} = 9$ 답 __2__ 살

P 54 ~ 55

4일 빼기 전 원래 수

🐝 그림을 보고 □와 밑줄친 곳에 알맞은 수를 써넣으세요.

$\boxed{15} - 4 = 11$

__15__ 보다 4 작은 수는 11입니다.

①

$\boxed{11} - 2 = 9$

__11__ 보다 2 작은 수는 9입니다.

②

$\boxed{10} - 5 = 5$

__10__ 보다 5 작은 수는 5입니다.

🐝 □가 있는 뺄셈식을 쓰고 답을 구하세요.

스티커를 4장 붙였더니 8장이 남았습니다.
원래 있던 스티커는 몇 장입니까?

식 $\boxed{} - 4 = 8$ 답 __12__ 장

① 지혜는 성재보다 1살 적은 15살입니다.
성재는 몇 살입니까?

식 $\boxed{} - 1 = 15$ 답 __16__ 살

② 초콜릿을 5개 먹었더니 9개가 남았습니다.
원래 있던 초콜릿은 몇 개입니까?

식 $\boxed{} - 5 = 9$ 답 __14__ 개

③ 장미는 튤립보다 3송이 더 적은 16송이입니다.
튤립은 몇 송이입니까?

식 $\boxed{} - 3 = 16$ 답 __19__ 송이

P 56 ~ 57

5일 네모가 있는 문장제

💬 덧셈일지 뺄셈일지, 무엇을 □로 해야 할지 잘 생각해야 해.

❀ □가 있는 식을 쓰고 답을 구하세요.

원숭이가 7마리 있었습니다. 몇 마리 더 와서 12마리가 되었습니다.
더 온 원숭이는 몇 마리입니까?

식   **7 + □ = 12**   답   **5** 마리

① 아이린은 켄지보다 2살 많은 13살입니다.
켄지는 몇 살입니까?

식   **□ + 2 = 13**   답   **11** 살

② 얼음이 4개 녹아서 10개 남았습니다.
원래 있던 얼음은 몇 개입니까?

식   **□ − 4 = 10**   답   **14** 개

③ 머핀이 13개 있었습니다. 몇 개를 먹어서 9개가 남았습니다.
먹은 머핀은 몇 개입니까?

식   **13 − □ = 9**   답   **4** 개

❀ 다음 물음에 답하세요.

노란색 풍선은 보라색 풍선보다 3개 더 적은 8개입니다.
보라색 풍선은 몇 개입니까?   **11** 개

식 : □ − 3 = 8, □ = 11

① 소나무 12그루가 있었습니다. 몇 그루를 더 심었더니 16그루가 되었습니다.
더 심은 소나무는 몇 그루입니까?   **4** 그루

② 버스가 18대 있었습니다. 몇 대가 떠나서 16대가 남았습니다.
떠난 버스는 몇 대입니까?   **2** 대

③ 주사위를 3개 더 샀더니 12개가 되었습니다.
원래 있던 주사위는 몇 개입니까?   **9** 개

P 58 ~ 59

확인학습

✎ 그림을 보고 □와 밑줄친 곳에 알맞은 수를 써넣으세요.

①

11   12   13   **14**   15   16   11 + ③ = 14

11보다 **3** 큰 수는 14입니다.

②
5
11   12   13   14   15   16   **11** + 5 = 16

11 보다 5 큰 수는 16입니다.

③
2
10   11   **12**   13   14   15   14 − ② = 12

14보다 **2** 작은 수는 12입니다.

✎ □가 있는 덧셈식을 쓰고 답을 구하세요.

④ 우상이는 준우보다 4살 많은 17살입니다.
준우는 몇 살입니까?

식   **□ + 4 = 17**   답   **13** 살

⑤ 종이학이 9마리 있었습니다. 몇 마리를 더 접었더니 14마리가 되었습니다.
더 접은 종이학은 몇 마리입니까?

식   **9 + □ = 14**   답   **5** 마리

✎ □가 있는 뺄셈식을 쓰고 답을 구하세요.

⑥ 색종이가 10장 있었습니다. 몇 장을 썼더니 9장이 남았습니다.
쓴 색종이는 몇 장입니까?

식   **10 − □ = 9**   답   **1** 장

⑦ 남자 아이는 여자 아이보다 3명 더 적은 13명입니다.
여자 아이는 몇 명입니까?

식   **□ − 3 = 13**   답   **16** 명

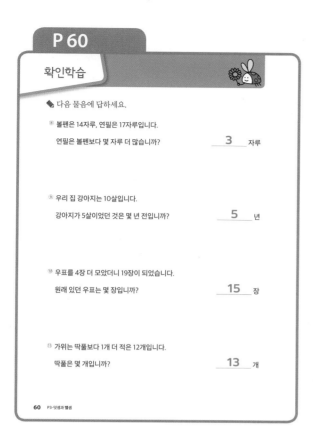

P 60

확인학습

◆ 다음 물음에 답하세요.

⑧ 볼펜은 14자루, 연필은 17자루입니다.

  연필은 볼펜보다 몇 자루 더 많습니까?   3   자루

⑨ 우리 집 강아지는 10살입니다.

  강아지가 5살이었던 것은 몇 년 전입니까?   5   년

⑩ 우표를 4장 더 모았더니 19장이 되었습니다.

  원래 있던 우표는 몇 장입니까?   15   장

⑪ 가위는 딱풀보다 1개 더 적은 12개입니다.

  딱풀은 몇 개입니까?   13   개

P62 ~ 63

✎ 수직선을 이용하여 2 큰 수 또는 작은 수를 구하세요.

$$7 \quad 8 \quad 9 \quad 10 \quad 11 \quad 12 \quad 13 \quad 14 \quad 15$$

① 13보다 1 작은 수는 12이고, 2 작은 수는 __11__ 입니다.

② 8보다 1 큰 수는 9이고, 2 큰 수는 __10__ 입니다.

③ 11보다 1 작은 수는 10이고, 2 작은 수는 __9__ 입니다.

✎ 다음 물음에 답하세요.

④ 참새가 8마리, 비둘기가 7마리입니다.

참새와 비둘기는 모두 몇 마리입니까? __15__ 마리

⑤ 토마토 15개를 두 그릇에 담았습니다. 왼쪽 접시에 11개를 담았습니다.

오른쪽 접시에 담은 토마토는 몇 개입니까? __4__ 개

✎ 뺄셈식을 쓰고 답을 구하세요.

⑥ 딸기가 12개 있었는데 4개를 먹었습니다.

남은 딸기는 몇 개입니까?

식 [12] - [4] = [8]   답 __8__ 개

⑦ 문어와 오징어가 18마리 있습니다. 문어는 5마리입니다.

오징어는 몇 마리입니까?

식 [18] - [5] = [13]   답 __13__ 마리

✎ □가 있는 덧셈식을 쓰고 답을 구하세요.

⑧ 사과는 12개 있고, 복숭아는 15개 있습니다.

복숭아는 사과보다 몇 개 더 많습니까?

식 __12 + □ = 15__   답 __3__ 개

⑨ 자전거가 2대 더 와서 10대가 되었습니다.

원래 있던 자전거는 몇 대입니까?

식 __□ + 2 = 10__   답 __8__ 대

P 64 ~ 65

✎ 수직선을 이용하여 알맞은 수를 구하세요.

① 민기는 11살이고, 동생은 민기보다 2살 더 적습니다.

동생은 __9__ 살입니다.

$$9 \quad 10 \quad 11 \quad 12$$

② 토끼는 14마리 있고, 거북이는 토끼보다 2마리 더 많습니다.

거북이는 __16__ 마리입니다.

$$13 \quad 14 \quad 15 \quad 16$$

✎ 알맞게 ○표 또는 ●표 하고, 빈 곳에 모은 수를 써넣으세요.

③

④

✎ 덧셈식을 쓰고 답을 구하세요.

⑤ 스티커를 장은 11장 모았고, 마리아는 장보다 4장 더 많이 모았습니다.

마리아가 모은 스티커는 몇 장입니까?

식 [11] + [4] = [15]   답 __15__ 장

⑥ 동전이 왼손에 12개, 오른손에 6개입니다.

동전은 모두 몇 개입니까?

식 [12] + [6] = [18]   답 __18__ 개

✎ 다음 물음에 답하세요.

⑦ 백합이 9송이 있었습니다. 몇 송이 더 피었더니 12송이가 되었습니다.

더 핀 백합은 몇 송이입니까? __3__ 송이

⑧ 마리는 노아보다 5살 더 적은 13살입니다.

노아는 몇 살입니까? __18__ 살

P 66 ~ 67

3회차 진단평가

	월 일
제한 시간	10분
맞은 개수	/ 8개

✎ 다음 물음에 답하세요.

① 레미는 15살이고, 수아는 레미보다 4살 더 적습니다.

수아는 몇 살입니까?　　　　　__11__ 살

② 장미가 13송이 피어 있는데 5송이 더 피었습니다.

장미는 몇 송이입니까?　　　　__18__ 송이

✎ 다음 물음에 답하세요.

③ 셔츠와 바지가 13벌 있습니다. 셔츠는 7벌입니다.

바지는 몇 벌입니까?　　　　　__6__ 벌

④ 빨간색 장갑이 4켤레, 파란색 장갑이 12켤레 있습니다.

장갑은 모두 몇 켤레입니까?　　__16__ 켤레

✎ 그림을 보고 식을 계산해 보세요.

⑤
10 11 12 13 14 15

15 − 3 = 12

⑥
10 11 12 13 14 15

10 + 5 = 15

✎ 그림을 보고 □와 밑줄친 곳에 알맞은 수를 써넣으세요.

⑦
5
7　8　9　10　11　12

12 − 5 = 7

12보다 __5__ 작은 수는 7입니다.

⑧
4
8　9　10　11　12　13

9 + 4 = 13

9보다 __4__ 큰 수는 13입니다.

P 68 ~ 69

4회차 진단평가

	월 일
제한 시간	10분
맞은 개수	/ 8개

✎ 수직선을 이용하여 몇 크거나 작은 수를 구하세요.

① 16보다 4 큰 수는 얼마입니까?　　　__20__

16　17　18　19　20

② 14보다 5 작은 수는 얼마입니까?　　　__9__

9　10　11　12　13　14

✎ 알맞게 ✕표 하고, 빈 곳에 남은 수를 써넣으세요.

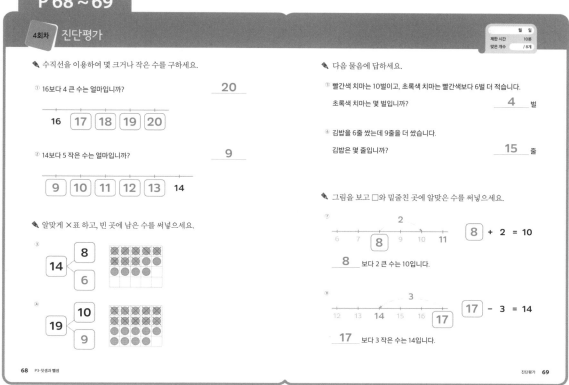

③
14　8
6

④
19　10
9

✎ 다음 물음에 답하세요.

⑤ 빨간색 치마는 10벌이고, 초록색 치마는 빨간색보다 6벌 더 적습니다.

초록색 치마는 몇 벌입니까?　　__4__ 벌

⑥ 김밥을 6줄 썼는데 9줄을 더 썼습니다.

김밥은 몇 줄입니까?　　　　　__15__ 줄

✎ 그림을 보고 □와 밑줄친 곳에 알맞은 수를 써넣으세요.

⑦
2
6　7　8　9　10　11

8 + 2 = 10

__8__ 보다 2 큰 수는 10입니다.

⑧
3
12　13　14　15　16　17

17 − 3 = 14

__17__ 보다 3 작은 수는 14입니다.

P 70 ~ 71

5회차 진단평가

월 일
제한 시간 10분
맞은 개수 / 8개

✎ 다음 물음에 답하세요.

① 양말을 미래는 7켤레 샀고, 은지는 미래보다 5켤레 더 많이 샀습니다.

은지가 산 양말은 몇 켤레입니까? _____12_____ 켤레

② 여우가 19마리 있고, 호랑이는 여우보다 3마리 더 적습니다.

호랑이는 몇 마리입니까? _____16_____ 마리

✎ 다음 물음에 답하세요.

③ 스티커를 노마는 10장, 레이는 7장 모았습니다.

두 사람이 모은 스티커는 모두 몇 장입니까? _____17_____ 장

④ 만두가 17개 있었는데 5개를 먹었습니다.

남은 만두는 몇 개입니까? _____12_____ 개

✎ 그림을 보고 식을 계산해 보세요.

⑤

11 − 7 = 4

⑥

13 + 5 = 18

✎ □가 있는 뺄셈식을 쓰고 답을 구하세요.

⑦ 곰 인형이 12개, 강아지 인형이 11개입니다.

강아지 인형은 곰 인형보다 몇 개 더 적습니까?

식 _____ 12 − □ = 11 _____   답 _____ 1 _____ 개

⑧ 구슬을 4개 잃어버렸더니 7개가 남았습니다.

원래 있던 구슬은 몇 개입니까?

식 _____ □ − 4 = 7 _____   답 _____ 11 _____ 개

> "
> # The essence of mathematics
> # is its freedom.
> "

"수학의 본질은 그 자유로움에 있다."

Georg Cantor, 게오르크 칸토어